Knaus
K

# H. G. Adler

# Stimme und Zuruf

GEDICHTE

ALBRECHT KNAUS

Die Texte auf dem Schutzumschlag sind
mit freundlicher Genehmigung des
Wienand Verlags, Köln, dem 1975 erschienenen
Band »H. G. Adler, Buch der Freunde«, entnommen.


Einband Manfred Limmroth
Gesetzt aus Borgis Baskerville
Gesamtherstellung Kösel, Kempten
Printed in Germany
ISBN 3-8135-7899-2

# Versöhnte Spur
# der Trauer

für Hildegard Reitz

## SPUR IN DEN HERBST

Was einer weiß   nicht weiß   ist fast
Die Vergänglichkeit des Herzens   fast
Nicht weiß   so drückt ihn der Schuh

Hat er die Fackel entzündet   und fast
Des Herzens Vergänglichkeit   brennt was
Einer weiß   merkwürdig sind vergilbt

Die Früchte der Zeit   was einer weiß
Fast nicht weiß   da wir den Schatten
Schon schlagen   Herz oder Schuh   Zeit
In die Vergänglichkeit weiß   nicht weiß

Früchte entzündet und Spur und Duft
Drückt in den Herbst   Vergänglichkeit
Rauchvergessener Gebirge   brennt einer
Vergilbt   was der Schuh fast nicht weiß

Entzündet einer die Fackel des Herzens
Drückt das Gebirge den Herbst   Schatten
Von hauchvergessenen Früchten   und Spur

## MÜNCHNER OKTOBERNACHT

Die leisen Gewitter, die linken Handlungen
Unter der Schuld, das abgestaubte Mäuschen
Auf dem Blitzableiter. »Falte dich, Vöglein,
Falte dich!« Schein auf dem Segel, Fahrt
In die Lücke, weiter Sprengel, die Abendkerze
Zum Schutz gebaut, unter den Hut.

Die Würgegeier im kristallenen Flug, sie wissen
Die Nacht, das Vergessen, die kahle Geduld:
Über den Türmen badet der Schrecken, windiges
Leckermaul, ruft heiser: »Will mich! will mich!«
Die krächzende Düse, der fette Diesel jagt
Verwunschen Qual in platzende Höfe hin.

Abgehalftert weidet in Würfen die Stadt
Kühle Gesellen durch die Gärten ans Ufer hin,
Bis die Nebel erblassen. Sprengt die Düse
Den Schall, fern doch vernichtend, daß die Fenster
Erbeben, die Kinder, sie zittern zum Traum:
»Ihr sandigen Hände reiht mir den Ringel!«

Bald raubt der Schlaf das Gewissen, die Träume
Über Land, der himmlische Diesel, die seidenen
Schatten, das trunken trockene Duften, die Schwäne
Aus dem Totenteich. »Die Armen fahren
Ihr müdes Laub ohne Mut.« Körnig der Donner
Gerollt in den Regen, abseitig Schritt.

## ALSO SAGEN SIE TRAUER IM ANFANG

Also sagen sie, was immer sie sagen.
Sie sagen es also. Gesprächig halsüber
Die Zange der Angst. Die Nacken sind
Am längsten. Und all das Liebe, was es
Nur bedeutet: ein blinder Nebel weiß
In die Trauer. Aschenkrug und Tränenlast,
Die Hände. Das Auge öffne, geh hindurch.

Offenes Ende. An der Hand der Gefahren
Flüstern die Schuldiger. Flimmer und Rauch
Frieren verrieben auf der Hand, ängstlich
Die zu eifrig Gebürtigen. Breite dein Hemd
Auf das Leiden, zieh die Fäden aus. Wie nun
Die Laster zerfasern. Müde vergänglich sein.

Zange der Welt darüber. Ein Wissen, sagen sie,
Ein Wissen. So haben sie immer gesagt, da
Die Stunde des Anfangs, da die Stunde blind
Und längst verlost am Anfang rann. Bedeutet
Hand, von der Hand, vom Auge über den Hals.

Verringere dich nicht, alles Liebe fließt
Taub durch die Hand, Laster und Asche gebürtig
Für das Gelüst einer Gefahr. Anfang, Faden,
Stunde: hindurch. Nacken des Alters und Asche.

Alles müde. Am längsten bedeutet. Das Hemd
Gehängt hinaus in das Laster. Die Schuldiger
Liebe im Nebel, öffne Anfang und Stunde.

Sie sagen von der Hand. Gesprächig bis über
Den Hals. Bedeutet. Sprechen. Auf der Hand.

Vergänglich Auge, Nebel. Trauer im Anfang.

## HÖRE DEIN HAUS

Höre dein Haus, bis der Schatten klopft.
Es ist zugerichtet, angerichtet; übe
Dein blindes Auge in der Geduld. Wer immer
Schweigt, die Kunde hört er gern. Es fehlt
Der Glaube, ihm allein. Die Stufen steigen
Ständig in die Stube, der Glaube schweigt.

Kalt öffnen Fenster ihre Hände, blicken
Ihre Fracht an die besonnte Wand. Heißer
Geruch kriecht in den Keller. Angerichtet,
Zugerichtet. Krallen am Dach. Rauch schweigt
Immer immer übe schweigt richtet klopft
Blind ins Haus der Geduld höre den Schatten.

## GASTHAUS IN VERSTÖRTER LANDSCHAFT

Ausgehüstelte Freuden, ein knittriges Gras
Auf Honigbrot geklebt. Gastfreundschaft nährt
Mit Schrecken im gestreckten Arm, und fremd
Das Haar auf der Brust, der zerriebene Atem.

Das dicke Tier räuspert sich im Versteck
Und plötzlich klopft es auf den Busch. Aber
Kein Fleisch in den Wangen. Die Frau trägt
Längst schon vergeblich das Netz verknotet stolz.

Die brave Nessel verdaut die kauende Unlust.
Die Nacht und der Rat, was verstohlen bläst
In die Schande des Nächsten. Die Schuld auf dem Stuhl
Schärft die Geduld für die Einsamkeit spät.

Aus der Unrast das Winken verblich den Gedanken:
»Sagst du es, sagst du es, sagst, was du sagst,
Hast es ja immer, hast es immer gesagt...« Schiffe
Und Staub, denkt störrisch bald keiner daran.

Auf dem Gerüst schaukelt ein Vogel den Käfig
Um die Röte seiner gestrigen Zeit: »Bitte
Die Zügel! So helft doch!« Lange stürzt die Nacht
Mit feuchten Riesenschuppen in kahles Verstimmen.

Dürr unter Brücken zeichnet Verkehr seine
Zückende Hast, Traum ohne Trost; zapplige Polizisten
Fädeln Finger dabei bis in den künftigen Mai.
Hinter stummen Gebirgen schwellen Blitze hart.

Die Strenge des Halses sackt ein. Es zweifelt
Ein breites Gedächtnis. Nimm, daß es dich schützt,
Vom täglichen Salz, nimm von der Bitternis;
Vertrau nicht dem Duft gerösteter Speisen.

## DREI VIERTEILE

### I

(1)
Herz oder Zeit oder die Rippe aus deinem Gewande,
Nimm den Becher und handle, daß die Glocke erbebt
Vor Frost. Die Steigbügelhalter fahnden nach
Herrschaft, die Fälle nach vorn, gestrandete Stunde.

(2)
»Daß wir es wissen ...« Bekümmerte Wangen glätten
Die Falten zurecht, die Treppen sind hingelegt,
Wege gewalzt. »Nimm es, aber nimm es nicht
Ernst!« Die weisen Vögel im Kreise, düsterer Flug.

(3)
Der immerzu rechnet. Der sich schüttelt. Und
Einer der Nachsicht übt. Die Flossen
Spinnen im Wasser die breite Zeit, bereite Zeit,
Aber wer sagt uns auch, daß wir Gestirne versteuern?

(4)
Diese Welt hat es erschaffen, diese Welt fingert
Ihre Verluste durch Dornen, Blasen und Brände.
Stimme deine Mitternacht an! Auf die Bahre kalt
Der Flüchtling. Wie erhaben die Stiege im Sturz ...

### II

(1)
Die Zahlen, und der Zorn, und die Zeichen; zuckende
Betrübnisse auf die Bretter geschnallt. »Lieber Herr,
Deine Lehren wie gut, aber Sinn? Sie haben nicht.«
Ausgestanden. Eisnadeln. Und Dunst ferner Gefängnisse.

(2)
Während sie noch. Doch schon wieder dagegen.
Jederzeit willkommen. Kann man dagegen was machen.
Väterchen fängt sich am Bart, Federchen flattert,
Fetter Falter, und diese Flut mit flimmernder Unschuld.

(3)
Sandzarte Wellen säumen die Säulen, siebenfach Löhne
Opfern wir unseren Kindern. »Kommst du mit, dann
Kannst du mit, so bist du mit ...« Weder die stumme
Stimme im Feld, weder die Herde, noch was erhält ...

(4)
Rost vom Gestänge der Gartenlaube, Dank dem Verderben
Vom süßen Gift. Du kicherst den Schleim deiner Unzucht
Und bist gut aber kurz. Wer von den Zähnen den Wind
Sich pflückt, muß für sein Spottmaul nicht sorgen.

III

(1)
Drei Gesellen bergen die Not. ... fürchten die Ankunft,
Fürchten die Ankunft, fürchten die ... Fürchten Segel
Unselig und schinden den Fleiß. Seidenes Fleisch
Und der Wind fährt darein, das Zetern, dieses Zittern.

(2)
Lange gewartet. Der dicke Alte am Pult, die Weisheit
Bodenlos köstlich schmettert die Schüler an. »Lehrer,
Jetzt wirst du beschimpft.« Griffel und Stift gebohrt
In die Stirn, in die Augen. Blut oder Wasser oder ...

(3)
Die Wiege der Nacht, welcher Neid, daß ein Bett
Für die Not, an das Fleisch, übst du den Fleiß,
Bist ja bei Trost, fett wer sich traut ... Nur Scharren
Der Hufe und hüte uns, Vater, still vor Beständigkeit.

(4)
Ausgegossen. Ist die Suppe ausgegossen. Ist die
Nackte Lampe in den Dampf verzischt. Und wie die See
Ins Vergangene strebt, alle diese Aufzüge, sterben
Gefährlich die Farben. »Leih deinem Nächsten ein Ohr!«

## ANDERE WEGE

Andere Wege, geht andere Wege,
Spürt sprachlos.
Altes Gedächtnis, taucht altes Gedächtnis
In die Frühe.

Es reicht hin, Fahne der Ferne
Umschlingt deine Türme.
Nimmt die Ruhe, nimmt dir die Ruhe
Und sinkt in die Fesseln.

Auf das Antlitz gefallen, Sterne
Sagen nur Sterne, sagen gefallen
Augen Zelte Zweige Falter Türen

Sprachlos gefallen
Andere Wege und sagen...
»Vater, dein Gesicht!«

## ANDERE WEGE SPRACHLOS

Andere Wege, geht andere Wege, geht und
Spürt sprachlos, Wege, andere Wege. Du hast
Genug, die Ruhe fesselt dich, geht andere,
Andere Wege, und geht. Und spürt Wege, andere
  Auf das Antlitz gefallen, Antlitz sieht
  Ein Gesicht, das Antlitz gefallen, auf das
  Antlitz. Sieht ein Gesicht. Sieht das
  Antlitz gefallen auf das Gesicht, sieht

Und andere Wege, geht und spürt sprachlos
Auf das Antlitz Wege, andere Wege, du gehst
Gefallen, fesselt die Ruhe dich. Gesicht
Sieht ein Gesicht, du hast genug und genug
  Auf das Antlitz, gefallen Antlitz, sieht
  Ein Gesicht andere Wege, Wege gefallen
  Auf ein Gesicht. Sieht die Ruhe, fesselt
  Dich, andere Wege sprachlos gefallen

Spürt ein Gesicht, spürt andere Wege, geht
Ein Gesicht auf das Antlitz, gefallen andere
Wege und geht und sieht, Antlitz auf Antlitz
Gefallen, Wege und Antlitz, sprachlos Gesicht
  Andere Wege, geht andere, geht und spürt,
  Du hast genug, Gesicht genug, sieht und
  Gefallen andere Wege, genug andere Wege
  Die Ruhe, fesselt Ruhe dich sprachlos

## DARUM SPUREN

Daß sie nur hätten    Ihr seid satt

Warum haben sie nicht  Sie haben  Durstige
Stunde  Wer sich getraut  Spuren über den Sudel
Gewischt  Warum nicht  Warum haben  Warum
Die Kapseln, reif und zersprungen  Aber es
Ist keine Rede davon  Warum haben  Sie nicht
Spuren  Warum nicht  Zersprungen durstige Stunde.

Aber es ist keine Rede  Schlägt ein Herz  Diese
Spuren  Warum diese durstige Stunde  Zersprungen
Wer sich getraut  Reif und die Kapseln  Sudel
Keine Rede gewischt  Haben, warum haben sie nicht
Reif und zersprungen, durstig über den Sudel
Durstige Spuren gewischt  Haben  Sie haben.

Haben ein Herz  Warum haben sie  Sudel gewischt
Ein Herz  Haben sie nicht  Schlägt keine Rede
Davon getraut und zersprungen  Sie haben, haben
Durstige Kapseln reif  Warum reif und gewischt
Spuren haben sie nicht  Haben Spuren  Stunde und
Haben und durstig, zersprungen reif und schlägt.

Warum schlägt und sie haben  Kapseln und Sudel
Haben Stunde ein Herz, und Spuren durstig Rede
Gewischt  Haben Rede reif  Haben Spuren  Wer sich
Getraut und schlägt  Schlägt Spuren und Herz
Haben durstig  Sie haben Stunde und keine Rede
Davon zersprungen und haben keine Stunde warum.

Ihr seid satt    Daß sie nur hätten

## HAND ODER SEELE

Allein die Hand  du sprichst es nicht
Daß eine Seele  allein du sprichst
Die Hand allein  die Seele nicht
Daß du es sprichst  allein die Hand
Die Seele spricht  allein, allein
Daß du die Seele  allein nicht spricht
Allein es spricht  Hand oder Seele?
Allein und nicht  und nicht allein
Daß eine Hand  die Seele spricht
Spricht die Hand allein  du und nicht
Du und allein  du oder nicht

# Zwischenstufen

für Manfred Sundermann

## VORBEREITUNGEN

(1)

Neuigkeiten:
Das Flattern der Mäuse,
Wie fahl das um die Schultern
Sich legt. Weltweit das Boot
Gebogen um die entferntere See.
Abendnot blaugrün am Firmament.
Schallhorn, hinübergewinkt
In den Zoll.
Mühe dich, müde bist du
Zur Ruh, verschlucktes Erbarmen.

(2)

Lanzenspitz Unkraut,
Gib einen neuen gewissen Geist,
Stehst stolz am Fensterbrett.
Hackt die Zeit, hackt das Genick
Entzwei. Gekrönte Toren
Schenken das flüchtige Land,
Magst ruhig sein. Versüßte
Bitternis schluckt scheu
Vergänglich. Nimm es wahr,
Einsam Vergessen vergossen.

(3)

Aus Wörtern gebaut
Das Federkleid deiner Träume:
Genau oder ungenau.
Schüchtere dich nicht, zielblinde
Braue, leidfromme Flocke
Hingehorcht ins laue
Verkühlen. Fürchtet die Hand
Nicht ihren Schlag mehr.
Also barmherzige dich,
Ein Ritter im Dunkel, der Retter.

## INS FERNE

Stunde der nahen Einfalt, Blick ins Ferne,
Blick weit übers Ferne hin. Wie das Getöse
Heimlich mit Fingern drohend sich verbreitet.
Sei nun stad! Freunde sind da, beleben den
Rauschenden Wald deines Gedenkens. Erinnert
Gibst du dich der Unendlichkeit, hörst und
Kleiner gehörst du dem Licht aus der Ferne.

Mitten auf dichtem Wege zwischen fremden
Menschen weilst du, ihrem ahnungsvollen Lauf
Treu, folgst ihnen nach. Wer nimmt die
Trunkenen Becher mit, die Vorfrühlingsblumen,
Alle zieldunkle Einsamkeit? Die straffen
Schatten schneiden ziersame Düsternis. Du
Stehst mit blinden Lippen im Gebet dabei.

Gruß aus dem Wind, nun bist du frei, die
Worte fielen und das Eis zugrund. Der See
Ragt feierernst, er beugt die Wellen
Leis abendlich zum Kies. Wer schmeckt den
Winter noch? Umspruch gewagt ins finster
Ferne, wo unnahbar entzückt die Berge
Wohnen, starreinsam und in starker Strenge.

## SCHATTEN DER ZEIT

für Grete Fischer zum 6. Februar 1977

Wie die Gedächtnisse fallen
Vornüber ins glatte Geleise, nächtliche
Tagfahrt. Die Blütenaugen der Nacht
Schatten sich schlank ins Gelände. Falte die
Hände, den kühl gezimmerten Traum.

Gestern schlich das Gebirg dem Schatten nach
Kühl zur Tiefe der geriffelten Ringe,
Der Reifen des Tages wirbelt fort ins Gedränge
Waldfeucht verlaufender Schatten. Wisse das
Wasser! Abend wird Tag, vernächtigte
Träume führen das Licht hinter dem Traum vor.

Nimm leicht deine Hand ins Gedächtnis, fahre
Davon, schöpfe und schmilz gülden den Abschied.
Matt lehnen Geister, bald scheiden und schimmern
Sie hin vereinsamt ins Herz. Wer sieht noch
Hoffnung im Stolz des gegabelten Horns? Ahne
Mündig die Schlucht, staune die Täler!

Nachsicht und Nachricht. Buntgewürfelte Bogen
Senken den Abend ins Meer. Halt ein! Leise
Wissen wir die gestrige Zukunft. Empor,
Was morgen lautet, immer noch gestern, immer
Noch heute! Welch Atem silberner Silben.

## DASS ES GESAGT IST

Daß es gesagt ist; gesagt
Und gesagt ins Gedächtnis, gib acht
Und drücke den Schritt in die Kreise
Der Weisheit; getan und gesagt:

Unter dem Herzen, sagen sie,
Als Vermächtnis (also Gedächtnis)
Und in die Erde, schlafend gesagt
Ins lauschende Blumenbeet, gib acht:

Leises Versinken in bärtige Nacht
Und versiegt und versagt,
Singend in sehender Unendlichkeit
Satter seliger Saat; und gesagt:

Kreise nach versammelter Weisheit,
Daß es gesagt ist
Zum Gedächtnis (also Vermächtnis),
Noch immer einmal gesagt.

## HEILSAME KÜHLE

Ins blinde weiche Fleisch
Den braunen Laib geschnitten,
Entleibtes Brot in Ranft und Scheiben,
Die Hoffnung Opfer schreitet
Durch blütenbunte Zeit.

Der alte Meister nickt.
»Sprich nicht vom Blut!«
Die Hand wirft er zum Zeichen
In die knirschende Arena.
Das Augenmal des Herrn.

Er hat sie ausgesetzt
In die Ufer der Gezeiten,
Werdegänge der Geschlechter
Treten auf weiter Strecke
Ihr gegürtetes Recht:
Ureltern, Urkinder gekettet.

Wissen wacht rund gekleidet auf,
Schneidet brünstig tief
In zärtliches Verzücken.
Gärtner bündelt Sonn und Schatten,
Erntet glühreife Früchte

Und kerbt ins Fruchtfleisch Schnitte,
Gefüllt der Krug mit Saft.
Der heiße Durst in heiserer Kehle.
»Bitte die Bitte bittere
Bitte!« Segen. Heilsame Kühle.

## SPÄTE LANDSCHAFT

Stirn, Stern und Star, den
Sticht das Jahr, der graue
Hang, das Haar, das märchenblaue
Haselblut nimmt die Gefahr
Vorbei.

Wind, Wand und wund, der
Dunkle Mund, das brechen
Wir vereint, die Mädchen sprechen
Still und gut. Das stürzt den Grund
Entzwei.

Pilz, Pelz und Paar, daß
Stumm und klar sich schaue
Ruhm und Raum. Welt will genaue
Wogenflut, schreckt wirr und wahr
Geschrei.

## KURZE ZURUFE

(1)

Mit jedem Schlag den Hammer
Aus dem Herzen reißen. Die Hasenfüße
Auf dem Feld machen das Kraut
Nicht fett

(2)

Die Trauer hängt an den Weiden,
Volk der Völker
In unverkürzter kurzer Ewigkeit

(3)

Nichts kann dies Leben rühren
Wie diese Hand, gestreckt, und
Dann zur Faust geschlossen Eigentum

(4)

Streitbare Axt
Findling im grenzenlosen Gemüt
Wie eine verwandelte Insel
Im weiten tiefen küstenlosen Meer

(5)

Eine Birke vergaß:
Zwei abgeschlagene Äste.
Die Birke war jung

(6)

Das Blumental berauscht den See

(7)

Selbst Schatten haben ihre Gebrechen,
Sie werden zu durchsichtig licht
Vor manchem zarten Gebüsch

## DREIFACH GESTUFT

Aus der Höhe

Nun aber gesteckt voll, hilfreich
In Überzahl, bis ins geheimste Versteck
Eingeflochten. Zahlen hingestreckt
In Hülle, in Fülle. Fasse die Hände

Entzwei gelockert über ein Knie

Und hüte die Weide. Die Wolle,
Das sanfte Geschmeide schüchtert
Sich ein, abendlich endlich
Welch einziger Reichtum vereint.

In die Mitte

Gegenübergefaßt und ein Gesicht
Gelehnt an Gesicht, flügelnde Finger
Ein gefühlsames Spiel. Du liebst ihn,
Erhandelst sein warmes Gedächtnis,

Wie es schon längst gespeichert

In vergangenen doch wirkenden
Altertümern nah ist, bei dir, stark
Auf denkender Stirn ... Dichtes Geständnis
Seltsam vertraut, überaus ewig.

Aus der Tiefe

Trägt, einer trägt, beugt sich heran
Schirmend in die kühlende Wärme
Immer dichter, auch geduldiger. Hier
Hütet getroste Stätte Mensch wie Tier

Sanft angeleitet und fast so geborgen

Wie jüngeres Leben. Alles hat heute
Seine gute, gütige Stättigkeit, da bist
Du ja, geronnen in überfüllige
Zärtliche Täler voll Obst. So ist es.

## VERSICHERTE FAHRT

für Bettina zum 28. 9. 1976

Gemessen und nicht angemerkt
Zerlegt die Strecke ihre Bahn
Ins weiße Dornenlicht verstärkt
Traumlang hinunter, Zweig und Kahn

Verführen den vertanzten Schuh
Ein letztesmal zu Bucht und Bruch.
Du steuerst. Fährst du froh zur Ruh
Und sammelst, was du bringst zu Buch?

Drangsale beugen uns ins Knie,
Die Werft verschickt ihr letztes Schiff
Vom Hafen fort. »Schlaf ein! Verzieh!«
Die Ferne ruft. Magnet und Riff.

# VORSCHLÄGE ZU ENTWÜRFEN

## (1) Erlauschtes Bild

Globus der kühlen Girlanden, Strahlwinkel
Wintriger Trübträume. »Faßt du nicht, faßt du
Nicht an, einsamer Sessel.« Glimmerstauden
Besänftigten Getreides. Überschüttet mit Nüssen
Starren verseelte Leichname am Randriesel
Eisiger Schmelzwärme. Zielverwunschen dreht
Eine Scheibe ihr letztes Gelenk. Sprache
Handelt den einsamen Schuh, spitzig der Hut.
Alter Photograph verwackelt staubig ein Bild
Löchriger Hand. Handlanges Tasten nach oben.

## (2) Verlorener Guß

Zeigefinger zielt seinen Zahn, Maßliebchen lieb
Fühlt ihm die Sorge ab. Der Meßner im Mantel
Klinkt um die Ecke mit zwirnigem Faden. Einsam
Ist doppelt gefahren, das Ziel vor den Wagen
Gespannt zittern zwei Rösser heisergrau gegen
Die Lichtung. Das Lebensbett flutet und rauscht
Schattig, summt und sammelt Gebete. »Herr Leutnant,
Herr Leutnant, befehlen Herr Leutnant.« Zeit uralt
Unterm Scheffel, die Glocke scheppernder Draht.

## (3) Betrachteter Gesang

Singvögel häuten sich nackt, pure Zufälle
Spitzen die Lage zu, klangtrockene Zeitung
Blättert ständig sich um. Neueste Nachricht
Tröstet den alten Papierkorb. Immer den Cantus
Firmus, flammenden Orgelpunkt, schleichlebendigen
Puls auf zersplissener Naht. »Du auf der Hut
Hüte dich gut!« Fürchtig der junge Gärtner
Bindet den Spargel ab. Knisternder Atem paßt auf,
Schon bröckelt der Strumpf, straffe Kunstseide
Erstaunten Gedächtnisses verdichtet den Docht.

## DER RECHTE ZINNSOLDAT

Zinnsoldaten schmelzen das bleiche
Blei hinweg zu bleibender Kindheit.
»Der gute Mond auf der Fahne« hat
Jemand in die empfindliche Nacht
Silbrig geflüstert. Einsame Fahrten

Durch Krankheit geschleust, die wunde
Neblige Hand sinkt verschleiert. Welch
Segen des Gerechten? Landreisen
Der Gerechten, Ringspur und gültiger
Kettensprung. »Meine Spur wandert

Bis zum Ende mit mir auf langer Fahrt
Zum Anfang hin« hat jemand gesagt.
Nun altert mein Kind. Blei oder Zinn?
Der letzte müde Sinnsoldat führt
Seine Mondnot ins eisig bleierne

Meer. Verflutendes Zinn im Taumel
Der Sinne schmilzt spätkühl dämmerig.
Der Zinnsoldat erhebt sein letztes
Leid zur Hoffnung auf. Heil deiner
Hände lenkt gerechtes Recht herbei.

## ANKUNFT

Vertretene Stiegen. Hastiges Schweigen
Stemmt hart sich der Tiefe entgegen.
»Wie heißt du?« Der Pfeil ist abgeschossen,
Bestaubte Ärmel, knapper Atem, im Keller
Fault stickig naß das Getreide.

Weit aufgerissenes Hemd, zeigt die Hand:
Da! Darunter das Herz. Scharf gezielt
In die Zimmertiefe; Schrank, Sessel,
Vom Bücherbord fallen abgeschmückte
Buchstaben auf den Teppich, unleserlich

Lechzen sie nach vergessenen Namen.
Vergangen, längst. Unbekannt verläßt die Eile
Das verängstigte Haus. Lauf los! Zerren
An der Leine, fällt vom Fuße der Schuh,
Tränennägel umtrauern das Denkmal.

Rufe umzingeln: »Willkommen!« Schatten
Verschenken gerüttelte Gaben, längst
Gesammelt, tummelnde Freude. Der Geliebte
Ist eingekehrt, trostnüchtern feiernd
In die Mitte getroffen der Ankunft.

## STADT IN ERINNERUNG

Im Kohlenruß die altverräumte Stadt
Schmilzt Schnee verwitternd unter Dächern
Am Friedhof grau vermützte Steine mahlen
Trostlose Trauer stumm zu Sand, Kein Wort
Berichtet, nur verworren zeigt ein Engel
Geknickt den Arm fernhin, wo sich kein Ziel
Aus nachtverwestem Abfall vor den mürben
Schein des längst verblaßten Himmels traut

Und ausgedienter Wind zu Staub und Schlaf
Die kahlen Ecken wischt. Hilfloses Flattern
Zerflockt Gedächtnisse, ein fremdes Kind
Fängt sie im Kelch der Hand und blinzelt
Mit vertrübten Augen. Hoffnung weigert sich
Zerblättert. Eine Wunde blüht, dorrt schon
Vergänglich satt. Doch welch ein Auferstehn,
Da lichterloher Morgen im Gewölk entbrennt.

## TRAUMFÄDEN

für Bettina zum 28. September 1977

Traumfäden wach in den Tag. So wach auf!
Weit weit in die Gründe. Blütenstaub schwebt
Flügelauf. Händen horchen den Morgen steil
Herauf. Was kündet die Stunde? Vergeßlich
Herz! Unsere Länder alle, auch wunde, frohe

Auch hold, versunken in das lichtstürmende
Dämmern. Freundnachbarlich. Wind verlockert
Vermächtnisse hinauf in die Zukunft. Blick
Fern aufgeschlossen. Auf, auf und geschlossen!
Leises Gestern flattert mit taufeuchten

Strahlen in unser Gezweig. Und es ist Jahres-
Zeit, auch Zeit und Jahr, Zeiten und Jahre.
Entwandelnde Furcht, Schlaf in das Licht, da
Wir nah sind, singsame tägliche Nähe, und atmen
Traumfäden wach in den Tag. Wir, die Erwachten.

# Durchgänge und Zeiten

für Werner Sundermann

## UM EINEN SCHRITT

Weniger als Schritt  so das Entfernte
In die Nähe gezogen  aber ungreifbar
Zwischenraum  wie Eines dazwischen
Gesteckt  »gib mir Schritt!«  angerissen
An die Wände  Schall Möglichkeit eines
Schlages innen  raumlose Nähe fernan
Ins Verschwinden  finden überwinden
Aufgelöst ins endlose Wasser  ungezählt

Wortreicher Regen  Laute tief  faltig
In Gewändern  »Höre mich! höre durch!«
Streiflichter worten Sinn vermindert
In braune Oktaven  feste Wärme  sanft
Das Haar noch dichter  Bitte gestreckter
Hände  töne dich hin  bestickte Häute
Blühfrommer Hoffnung  Sang über Berge
Wo sich der Nachgeschmack selig auf

Leicht gespannten Lippen öffnet  Lieder
Breit in Gehängen  füllig umfiedert
Das dünne Vogelhälschen schwebend über
Der Wiese Glanz die schmückende Lerche
In gleißender Bläue  »gib behutsam! gib
Die Sonne!«  griffreich die Sonne lockt
Herbei zu des Abends Verschatten wenn
Dich der Morgen schon meint und leiser

Müde geweinter Schlaf auf Rosenblättern
Geronnen  ein Bruder der Schwester ein
Anderer Bruder  die Hand  ihr segnendes
Zeichen  die schützenden Hüllen zeitiger
Hoffnung  zart die Arme hinausgebeugt
Durch fensterlose Himmelspforten gebirgig
In weisen Gedanken  weiter hinaus
Zum Angeln schwere Weidenarme zur Erde

»Bist du bereit?« Einer da hört hört
Verhört sein steingealtertes Antlitz
Mit Sternen gerahmt verstreut kristallen
Schneewiesen wissender Augen »halte den
Sinn!« ist jetzt der erste Schritt?
Ist er Eines ist angeschaut Eines ist
Entferntes ist hier Entferntes die Nähe
Lippen und Schlaf huldreich und erduldet

## NAMEN RUFEN

Daß sie mich rufen, daß ich mich rufen weiß:
Dieses durchzählende, durchsickernde Rufen:
Dieses seelig Vordringende ›rufen‹ zu heißen,
Seliger Name, Seele, sehr nahe, und rufen,
Rufend gerufener Name. Diese durch Fächer

Getriebenen Rufnamen: Tiere, Löwen zumal, bunte
Vögel, schimmernde Fische, zitternd Insekten
Im Flug, und das blindmilde Kriechen am Boden:
Namen in endlosen Reihen, endlos, nicht endend,
Wenn die Seligkeit zumißt, weit die Namen

In schimmernden Bogen gespannt: Rufe und wörtlich
Genommen, die betriebsamen Namen, die verminderten
Seligkeiten im sirrenden Gewimmel, die Bahnen,
Die gespaltenen Hörner, der gesiegelte Schmuck,
Daß sie den Namen nennen, die Namen, die holde

Geschäftigkeit zahlloser Schatten, herabgeholt
Aus Gestirnen in das Dickicht. Weißt du? Ja
Weißt du? Was weißt du? Weißt du der Namen
Unversiegliches Rufen, dieses Rufen der Namen,
Daß ich mich rufen weiß, daß sie mich rufen...

## AUSRITT

Steigbügel,
Steig auf, komm doch,
Komm und sieh
Ausgestreut die körnige

Nähe, hüllt in Ferne sich.
Segelt über die Stadt hin
Geduldig der zeitliche
Nebel, die sattsanfte

Wärme. Die beruhigten
Glieder. Nun, bald noch
Geheiligt Andacht und
Knie. Abendrot oder Morgen.

Silberflüssiges Moos
Verdunkelt die zärtlichen
Schatten, unendlich beseligt
Atmet der Wald.

## HIMMELSFINSTERNIS GIBT LICHT

Stein und Bein geschworen, Geschick
In Himmelsfinsternis, die Sonnen
Ausgefranst: Wehe der Leidlichkeit
Zerfallener Gebärden, äuge dich
In die Zwingerzeit erstochener Farben.
Die Beile fallen. Grollbraunes Elend

Angestaut in blinden Flüchen: Reiße
Dich empor! Strähnen gebratenen Glückes
Durchzittern des Weltalls Mauerwerk.
Weiß keiner was davon? Gedrehte
Schatten wintern sich zur Wanderschaft,
Ja, nimm dir's nur! Weiß es keiner?

Es ruft der Purpur aus dem Widerhall
Verzechter Spelunken wüst und arm
Gebrannt, Tagfalter auf den Stirnen,
Den brodelnden Sternen. – Jäh ist es
Fallen gelassen. – Anders die enge
Stube jetzt, Werkstoff der Kleinen,

Langsam vergrößert, doch noch klein:
Ein leises Scharren geduldiger Finger
In die Schuld der Kinderunschuld gegraben.
Nun ist es still, die Sanftmut zuckt
Versenkt, tief ebenbürtig dem Geschick
Geschworen, Bein und Stein. Gibt Licht.

## WARNLIED DEM ABEND ZU

Was da geheimnisvoll... Taulippen
In die eigene Haut in das Fleisch
In den Schnee geschnitten, stunden-
Lange Füße tragen weithin Flucht-
Gesellen. Hüte dich, schön Blümelein.

Brunnen fahren, nächtlich breit fließt
Der angegossene Kahn, siehst du nur
Überall, über das All, behende der See
Senkt sich verwirrt ins Gebirge
Alt vor erschütterten Herbstliedern.

Niemand lächelt froher als verdreht,
Sie pumpt ihr Herz aus, die alte
Lockenwicklerin. Kommt, ihr lüsternen
Zwillinge, kommt, wo die Seide sich
Kräuselt, fängt sich im Algengrund

Fährte der Düfte. Brenzlig Augen-
Blickt der Nachgeschmack. Wie viele
Hoffnung gefällig? Sammlerin schneidet
Tief in den Schaft, was geheimnis-
Voll sich verschläft. Schuppende Orgel.

Geht nur hin, wo das Gestade blaut
Aus der Not Weingesimse, stahlhart
Gefangene Erinnerung, wie sie den Kahn
Von allen Ufern vertreibt. Gesellen
Blühen verwunschenen Abgesang aus.

Atem beraubend atemlos. Halte nur
Die lüsternen Zügel, Weidenfleck
Dürftige Speisen und dürstig Trank
Gesiebt ins Herzfleisch, in den See:
Die eigene Haut, hüte dich sehr.

## ANDENKEN

Sie sagen: An den Fahrten sollt ihr sie
Erkennen, nicht an den Früchten. Sie sagen
Allerlei. Es ist ihr Recht. Aber es stimmt,
Der Fahrten gedenken wir, jedoch die Früchte
Haben keine Zeit. Der rauhe Wind allein
Verkrüppelt sie nicht. Da droht der frühe
Frost, das hungrige Geziefer, die falsche
Pflege des alternden Gärtners. Kein Gedeihen.
Wie soll das werden? Sagt doch, ihr Brüder...

## ZUFALL ZUM WEGE

Brennender Zufall nah dir vertraut
An der Wange des Schicksals. Halte
Dich fest gegen das Dunkel, die Nacht
Abseits schleicht ihrer Wege. Bitten
Scheiteln spitz gerade sich auf, und
Altertümliche Weisheit fleckt uns
Alle Hoffnung zuschanden. Einmal war
Es und wird. Du aber kommst und bist

In der überholten Zeit deines Herzens
Dabei. Ist es wirklich? Fürchte nicht!
Was wir in Stücken zustande gebracht,
Ist ganz. Die kalte Verzweiflung quält
Sich nicht lange, in den heimlichsten
Falten schimmert schon lippentreu dicht
Die Hoffnung. Es war in aller Zukunft
Nicht anders. Losung: wir holen sie

Segelkundig ein, ins verlorene Dasein
Versponnen. So. Genau so. Wiedererkannt
An der Brandung kluger Gefühle, mit
Augen getastet und Spuren eng gefolgt
Zur Stunde eingemeindeter Erinnerung:
Dein Geheimnis mischt heute sich ein,
Locker greift dir unter die Schulter
Hilfreicher Friede, lockt dich zum Wege.

## GERETTETE STIMME

Zu versuchen die rettende Stimme, zwischen
Brücken und Strahlen die Brösel der Freiheit
Unter uns, dem bedürftigen Volk im gläubigen
Schuhwerk der Schritte seines hoffenden
Wandels, Früchte feilgeboten, Fische und Krabben,
Andenken an die noch künftige Vergangenheit

Auf den Ständen gehäuft, Lederwerk, Glaslust
Aus geschäftigen Träumen geschmolzen, jäh
Gerissen aus geronnenen Gluten zu Ringen
Und Spangen verwundertes Silber. Es wechseln
Die Hände, was zwischen Menschen sich leiht,
Angebot erinnert und fern ans Vergessen

Gelehnt. Schütterer Mörtel fällt, doch groß
Baut in stolzen Maßen die Stadt mit erbetenem
Segen ihre Gebärden unter dem bröckelnden
Dust der Paläste, und vorne das Wetter
Leuchtet warm auf, während sich eingesteint
Schattige Wasserläufe zwischen Häusern

In unberührbarer Eile gedulden. Laut schichtet
Gesang in die Stille sich, dann ohne Laut
Nur ein zärtlich Gedulden (bist du es?) Dort
Wohnen wir bei. Nächstens loht unser Wünschen
Auf in weites Empfangen. Fremdlinge bemerken,
Was da geschieht, aber begreifen es nicht:

So wird es zum Gewohnten. Du bist dabei,
Andere auch, nie gekannte Geschwister gerüstet
Im Geschmeide und wissenlos an die Ahnung
Geneigt, da warten wir auf ein zärtlich Gewissen.
Woher die Blüten? Daß es einmal gelingt,
Wie alt doch brunnenjung die gerettete Stimme.

## ZUSPRUCH INS FERNSTE

Vorbeigezogen Schiff und heimliches Begehren
Träumt vielfach aufgeschüttet kehrst du heim
Ins Abgeträumte wenn die Schatten flach gelobt
Versinken wo das Meer die Arme hebt die Wellen
Gleiten beglückt und Abschied speist verliebt
Was wir vergangen haben.

Du schaust was du
Nicht siehst das Feld die Wunderstadt aus ihrem
Mittelalter mit Nähzeug und was da bindet froh
In Eins geschlungen guter Freund die Freundin
An den alten Zeitbaum gelehnt und die spaltenden
Ufer und Sicherheit gut ach wir vergönnen das.

So halten wir aus und an so halten wir durch
Die Säume der Hoffnung das feingliedrige Reisig
Und all die Gewächse immer dichter gedrungener
Heiliger auch weil wir es schaffen sogar Alter
Hilft uns zu reifender Stunde da wir die Früchte
Schaukeln zum Schoß hinab.

Traue ins Späte dich
Und hüte dich fern durch alle Begleitungen bunt
Verwoben mit gefiederten Täglichkeiten herrlich
Die eine die anderen herrlicher noch denn weise
Beugt der Mond sich über die Hänge zur Ruh wenn
Abschied die Netze flicht bleibe nur bleib dabei.

## WEIT HINGEHALTEN

Tief gerillte Monde, Fingernägel,
Ausgewölbte Nichtigkeiten, Blut,
Herzwichtig schleichen wir im Grund;
Liebwert und einzeln geheimnißt

Der Mund groß über dunkles Laub
Und heiß der Brüder Grüße über
Schlank von Wind verliebte Felder:
Du, das Warten auf die Zeit taucht

Glied um Glied verschränkt. »Vondannen
Aus Lichterloh und Tag stiehl dich!«
Was Lichterloh? Welch Wort! Du sagst
Es blaß ungeschützt, die Schnitte

Fruchten nichts, das Kätzchen wo's
Nicht hingehört, die Lärmtrophäen,
Die Katapulte, Schüsse, ungezielte
Zahlen. Ach, daß dies alles nicht

Hinreicht, Dreifüße und Zweifel,
Die Einigkeit fest aufgestellt
Und ausgehalten! Verbreite dich,
Kehr ein in dich, halte die Hand

Zum Zeichen! Halte sie hin und halte
Durch Vergessen aus in Erinnerung!
Aufgeteilte Hände verspäten sich
In Zukunft alt. Nun fürchte Haut

Und Haar! Samtwoge macht Anfang
In faltenreichem Denken. Brennt aus
Vergangenheit ein Lichterloh, hört
Immer noch. Gespalten sieh dein Glück.

## LANGSAME VERGÄNGLICHKEIT

Aufgeladen vor uns Herbststunde altblauen
Entzückens   aus den Bedrängnissen nicht
Einmal herzlos aber verspätetes Weideland
Entfalteter Hoffnung   was du beklommen
Aus farbigen Gründen ziehst bittend voraus
Bestimmt   immer ferner gesonnene Felder

Die abgewarteten Tage nimmt mancher streng
Sich vor und huldigt der schlafverschränkten
Vergangenheit   nun horchen wir länger hin
Und fassen weder mit Händen noch Sinnen es
Fromm   künftig bleibt Dank   einsames Angewöhnen
Harrt über dem Abschied in Zuversicht aus

Jahrtausende zeugen ein verändertes Wissen
Kennst du noch immer keinen Weg?   Unschuld
Eines unverdorbenen Herzens eröffnet bald

Geduldig verronnenes Gedenken   tauleicht
Atmet leis bekümmerter Schnee   Ahnung wird
Vielgereiste Zeit und ein sicherer Hafen

## AUF DER SUCHE

Vertrieben, und eine Stunde<br>
Noch ganz weit entfernt.<br>
Die Wartestube vollgefegt.<br>
Doch niemand rastet dort, Scham<br>
Hungert blaß, wird unerträglich.

*

Dem Zecher reicht der Wirt<br>
Die kühle Hand des Bruders;<br>
Gewärmte Tücher helfen<br>
Nicht: das Haus ist leer.<br>
Im Keller fehlt der Wein.

*

also versucht sucht such also<br>
        sucht also versucht also<br>
                versuch also sucht<br>
                            sucht also<br>
                                    such

*

»Warum haben sie nichts?« ›Sie<br>
Haben.‹ »Warum?« ›Daß sie nur hätten!‹<br>
»Seid ihr gesättigt?« – Hoffnungen<br>
Hängen hinüber, doch keiner spricht<br>
Davon ein Wort. Sie nähren den Kummer.

*

Nur eine Ecke noch<br>
Dahinter auch Träume sind<br>
Und blind erwartete Schatten...<br>
Ach die gefundene Zeit<br>
Begleitet längst das verlorene Herz

## KÜNFTIGE FREUDEN

Das gilt nun, das gespannte Alter
Und seine heimlich unheimlichen
Freuden. Guter Geist in seinen
Verstecken, mild abgewandelt froh
In der Vorsicht, die gebieterischen
Hoffnungen gedrängt und das Künftige:

Uns ist es verheißen. Leise das
Bedächtige spüren, ausgesparte
Schritte, wie grau vergessen hinter
Den Wegen sie bleiben, wo still sie
Verharren; ein Blick voran, viele –

Nein, keiner zurück. Also Freuden.
Sind das Freuden der Jugend, stärker
Noch gedämpft, da sie vereinen, was
Ein Jeglicher weiß? Ja! Freuden: weit
Ausgespannt ein Netz, keiner schlüpft

Durch, dennoch überall dringt es voran
Licht in jenseitige Gebiete. Einst:
Das war. Einst: Das wird. Nur dabei
Sein. Dabei. Glitzerndes Tasten zu
Den Gestirnen hin. Freuden, uns verliehen
Ins warme Gedächtnis. Das gilt nun.

## UNERHÖRTE ANSPRACHE

Auf steilster Klippe, einsam, wolkenhaft,
Darunter See, ihr Rauschen. Die Stimme
Steigt dagegen an, bedrückt und hoch
Erhoben, daß ein Gehör sich ihr verleihe.
Doch keiner lauscht, Alleinsamkeit
Schleicht ihre Wege im Getöse durch
Und nächtigt jedes Ohr bei Tag selbst
In verkühlten Schlaf. Die Stimme wagt
Es dennoch und ächzt unter Verschwiegenheit,
Daß sich kein Laut entringt, sie redet

Aus Gedächtnis getrost verzweifelt
Noch ins Vergessene, wo weder Kahn
Noch Küste hinreicht. Auf steilster
Klippe unsichtbar verteilt ins Buch
Der Zeiten, aufgestellt, die Brust
Entblößt, verwundet und zerfleischt
Schlägt sie den Spruch des Herzens heiß,
War da, schon immer da im ungewissen Raum
Beim Tor der Ungezeiten. »Gestern, gestern,
Werdet heut nicht sein, Schrei-Einsamkeit

In weitgewellten Wogen hin verlassen!
Das habe ich. Das ist mein Reich.
Das fasse ich in keine Hand und hab es
Doch nicht losgelassen. Liegt es an mir
Verwildert unter meinen Füßen und jäh
Ersteigt es des Hauptes unstillbare Glut!«
Die Rede wälzt sich fort, mündet und
Endet nicht, wie auch Jahrhundert dringend
Dem Jahrtausend kündet, fort und fort
Fast in die Ewigkeit geschlichtet,

Nur weniger um Ewigkeit als eine Spur
Bestehend noch in Zeiten eingegrenzt
Am letzten Rand, ein Taumel, ein Entsetzen
Und hingefahren, ungefahren, in Gefahr
Erbeutet, und Angst und Zagen, klimmendes
Entsetzen ungeheuerlich. Wem es gehört,
Stockt schon und strömt voran tiefer
In immer fernere Erwartung, fernste
Klippen, und selbst das Meer schwimmt zu
Neuem Alter ohne zu verstummen fort:

Daß diese Welt erschaffen ist.

# Stimme und Eingeständnis

für Jeremy Adler

## DIES EINMAL SAGEN

Dies einmal sagen, dies und einmal, nach
Allen Hindernissen zerpflückt, den dunklen
Gestalten, den feindlich wirr verzwirnten
Griffen bis in die Grube hinab, wo voll
Mit allen verwetterten Tageszeiten, wie
Wild durcheinander sie wandeln, plötzlich
Das Leben hoch sich erhebt, komm nur, und
Wieder zum Schatten hinabsinkt, weh uns, behaart
Und gefiedert in sinnlich warmen Gebärden,
Daß wir Zeugen sind und abwesend, abgekehrt

Ganz aus den staubgeflickten Erinnerungen,
Bein um Bein und Hals um Hals, umschlungen
Ins Ferne verführt, ins himmlisch Silbrige hin,
In die unerreichbar schnell nahende Fremde,
Wo sie uns sagen, was wir heute nicht wissen
Und dennoch im Gehören noch hören, so also,
Nächster, wir warten ja. Du bist es. Stimme:
»Müde, müde gewesen, bevor die Zukunft geträumt war
In längst verfallenen Schluchten, aber sieh
Einmal den Morgen an!« Dies einmal, und sagen

Von den buntsüßen Früchten, liebhold umwandert,
Als wäre berstender Schrecken nicht das
Quälende Gericht dieser Tage. Wie anders?
Nein, mühe dich nicht, wenn tastend voran du
In den dumpf klirrenden Kies stößt, vorgehalten
Die rechte, die falsche Hand grau dem Gesicht,
Geblendet. Schreiheiser quillt die Klage schon
Über die heißkalte Not der Gebirge, gejagt
Über die Herrschaft gesprenkelt in Tälern
Und aufwärts fleckig angeleuchteten Triften.

Mit Buchstaben nähren wir uns, trockener
Zeitungsweisheit, wir, die Völker des Abendlands,
Eingegürtet. Was hält uns zusammen außer –
Geschlagen – den tückischzackigen Übergriffen
Berstender Flattergewalt? Das Einsame nicht;
Aber dies einmal sagen in die wachsamen
Ängste unserer Bildung! Wenn einer dies weiß
Und stehend noch standhält im Sturze, gehüllt
Fest in den Segen seines Erbes: dies alles
Zusammengeschweißt und übereinandergespiegelt

Von Urzeit zu Anbeginn übergossen mit Farben,
Leuchtenden Anrufen grell, da, da! Nimm und
Falte Rücken und Brust ins Gedächtnis deiner
Vorfahren, daß du es lernst, dies, ja, bestimmt
Einmal dies, stark aus der Tiefe gerufen
Die Geschichte, deine Geschichte gesammelt
In quellend gewürfelten Zusammenhängen,
Daß du es kennst und nimmer ermattest, komm,
Bis es offenbar wird, dies, einmal, und wach noch
Zu sagen, und früh in verstummendem Schlaf:

Dies nur, und immer noch dies einmal sagen.

## DU, DEIN GANZES GESETZ

Du, wer bist Du, in deine Kleider
Gebannt, die Gestalt und dein Leib?
Du bist es, die reinlichen Hände
Und langsames Wachstum, Erfüllung
Deines Gedankens, erschaffen und
Schaffend: die Finger, die Arme
Hingeopfert den Taten und Träumen,
Immer nur Du, wie Du vom Schlafe
Blühend in dein Erwachen gedeihst

Unter der Obhut deiner Blicke und
Im Felde deines Gehörs, Du, auch die
Sprache aufgezogen im Gemache des
Einsam nachbarlichen Herzens, Du
Und dein Schritt, wie er stets weiter
Dich zu den Orten der Angst und deines
Begehrens führt. Ruhe und Trost findest

Du und alles bei Dir, entstiegen aus
Dir zu jeglicher Stunde. Die Liebe
Auch, der fromme Verschluß deiner
Lippen, der durchwanderten Adern,
Daß Du herbeigewünscht wirst, wenn
Froh deine Brust sich weitet, selig
Die Haut sich spannt, die Glieder
Sich strecken, ausholend das Gefühl
Ergriffen vor Sehnsucht sich rührt

Fromm in der Hoffnungen Zukunft. Rast
In der Weile. Wohl Dir! Dein Innerstes
Äußert sich klar in würfigem Schatten
Unter der Leuchte deines Scheitels,
Stirne und Mund, hilfreich ein kühnes
Antlitz zu fernsten Gefährten wandernd,
Wo Du einkehrst, wo Du seßhaft bist.

Du, verträglicher Geist, halte Dich an
Im Untergang und vergiß lächelnd was
Abfällt, daß Du nur bleibst, Du, in
Der Herrlichkeit deines Namens, des
Verliehenen Namens. Ewige Dankbarkeit
Also, Du gibst sie preis, sie faltet
Deine Seele zur Einkehr. Nun wohnst
Du im Gehäuse aller Geschlechter, Du
Und die Zeiten, Du, dein ganzes Gesetz.

## WOHIN? WAS WIR UNS ERWARTEN

Wohin? wohin? wo wir nicht hin wollen
Führst du uns, erschrecklich gebietender
Geist in die ängstlichen Zeitgewinde
Verwitternder Königsnächte ohne Trost?
Die Sprache halten wir nicht mehr, wir
Halten sie nicht aus, die Worte fallen
In Ohnmacht dahin, die Lippen brechen
Bei unseren zerpreßten Lauten. Mensch,
Dir wurde gepredigt, was recht ist, was

Unrecht, jedoch schwer liegt über uns
Zäh das Gebirge, die wildverlorenen Steige.
Da ergreift uns durcheinanderwirbelnder
Schwindel, die Füße versagen, der Schritt
Bleibt gestern in der Vergänglichkeit
Stecken, und wir zählen die verworfenen
Augenblicke, einer, der zweite, noch weiter
Sinkt es ins Grab verlorener Zahlen ohne
Erinnern. »Gib uns dagegen Gedächtnis!«

Doch wogegen, wenn wir Hilfe, sei sie selbst
Möglich, nicht mehr begreifen, die Flucht
Unserer Gebärden, die Verläßlichkeit unseres
Unterganges, leise im Gewölk, und dahinter
Im Eis verzückter Verzweiflung. Verlangen
Möchten wir viel, mehr als wir zu tragen
Vermögen. Wohin? wohin? mit Stummheit
Haben wir Zettel beschrieben, unsichtbar
Weiß unsere Zeichen, keiner entziffert sie,

Das Lesen wird eine vergebliche Kunst!
Wohin? Lautlos tönt es im Äther, die stumm
Dunkle Frage überirdischer Ozeane lehrt
Uns, was sich im Abschied begibt. Einmal
Könnte doch jäh in die Höhe gewölbt
Flug über Ahnungen schweben: frierender
Dämmer, zitternde Bangnisse, die rettende
Andacht! Wohin? Daß es uns fasse, streng,
Was wir uns über allen Zinnen erwarten.

## TIEF INS GEDÄCHTNIS GEHÄNGT

All das Tosen, das Allumfangende! Myrten,
Die harten Blätter, die sanftweißen Blüten,
Sie nächtigen wachsam in tiefbraunen Schatten
Am Rande verzögerter Flucht. Die Versuchung
Gehängt aus dem Nichts ins All, all-einiges
All in zuckender Fülle, flockiger Überfluß
Zerstreuter Gebärden, ziersichere Schritte,
Das Kätzchen schläfrig tänzelnd im Moos.
Gespielen untergefaßt, hurtig tauschende
Hände, ein Reigen zusammengerückt, viele, sie

Kennen einander, bieten das Künftige an,
Verschreiten in silberwirbliges Gelächter.
Wer sich nähert, verteuert seine Abwesenheit
Um die Aussicht, den ungeduldigen Blick
Ins ermattende All. Schellen, dann horchen,
Ausgelotete Weite vergessen, gesprenkelt
Fern Sorgengewitter, ein Schleier, Vorhang
Hinabgebeugt. Wer sich Diener jetzt nennt
Einer Zukunft, mißt seine Eile, da, noch etwas
Vollbringen, ein Versuch, das Allumfassende,

Das Schicksal auf stürzendem Thron und bunt
Ins Gewinde, ins Gedächtnis gepackt, künftige
Blüten zu Sträußen zusammengesteckt, eine
Glanzlichte Pracht, Gluten steil übereinander
Getürmt in immer schneller flammender Höhe.
»Wirf deine Lasten ab! Nimm dich zusammen!
Fahre getrost in dein urverlassenes Heim!«
Die fahrigen Gesellen hören es wohl, aber
Sie begreifen es nicht, längst verrauscht
Ist das Gewissen zerstoßen, griffig vermahlen

Verstäubt das Korn, wird nicht gesammelt,
Doch jeder Schritt im aufgerüttelten Licht
Verzehrt den vertrauerten Kummer. Die Kraft
Des Vergessens lehnt sich voran, bahnt seinen
Weg, dringend doch leise. Kein Bangen wartet
Mehr, sicher ordnet die Schwester zur Heimreise
Betulich ihr blaues Hoffnungsgepäck abendlich
Und entzückt. Fluren erbeben, erschlossen froh
Öffnen sich Hürden, locken zum Waldmeer, rufen
Entbrannt unter verschränktes Geäst, da huschen

Flinke Tiere von Zweig zu Gezweig, darunter
Getaucht verflicht sich feuchtes Gesträuch,
Dunkel schießende Nacht verdunstet Erinnerung,
Dahinter ein Garten, ein lauschiger Wildpark
Mit rüstigen Hirschen. Wem atmet das All?
Wer lehnt sich aus seiner Seele hinaus und wer
Weiß, wann es anfing, wann es endet? Zeugnisse
Kreisen gemach in Vergängnis, daß wir Versuchten
Im Allumfangenden suchen, bis wir versammelt.
Also ist alles tief ins Gedächtnis gehängt.

## WIE IST ES ZU FASSEN: WIR SIND DABEI

Wie ist es zu fassen, dieses geheimnisverhüllte
Leben? Noch leben wir, haben gelebt, doch die Tage
Halten an ihre Stunden sich nicht, drängend
Verdrängte Augenblicke bäumen empor sich, entfalten
Was an Gedanken zwischen bestimmten Orten ... ach,
Wer getraut sich von ›bestimmten‹ zu reden? Doch
Genug unterbrochen, also, wir setzen fort: Gedanken
An Orten zwischen ... drum an bestimmten Orten, da,

Wir wollen sie fassen, nehmen, einverleiben in uns,
Daß wir sagen: Da, es ist da, angefangen hat einst
Die erzeugende Schöpfung längst vor unsrem Besinnen,
Wir wissen es nicht oder kaum, doch ein Geschmack
Betörte unsere Lippen und da stimmen herausfordernd
Wir kühn noch einen Gesang an. Schuldner sind wir,
Nachfahren, schattengewaltig und hängen trostlos
An jeglichem Zeugnis. Aber wie ist es? Unsere Worte

Kleben an verschränkten Giebeln, die Städte biegen
Den Abglanz unserer Hoffnung hart bis zum Boden
Und tiefer hinunter noch zu den blind wissenden
Würmern. Ihre Gefährten sind wir, aber Sterblichkeit
Ist mehr bei uns, weil wir die Erde nicht mögen
Und selbst im Niedersturz irrend uns in vernichtenden

Flügen noch übersteigern über die Wellen hin, über
Die Wolken, die seidigen Nebelstreifen kochend
Über den Gründen. Der stummen Weisheit näher ist
Das Gewürm, schuldlos und dumpf, Diener eines
Zeitübertauchenden Gründens. Oh nein, sie lüstern
Den Schmerz nicht, diesen Aufstand fast eingefrorener
Herzen oder tastender Finger, dieser menschlichen
Fühler, einer zum anderen hin, Ketten und Bogen.

Wie weit hat es Verzweiflung von hier bis nach
Dort hin und wieder zurück? Inne werden, klein ein
Verständnis, oder zarter, eine Wahrnahme, ein Betrachten
Ohne auch nur zu rühren am Nächsten. Wir hocken da
Und rasten, versammeln uns abgekehrt auf den Gassen,
Jedoch vertraut. Du gelehnt an Du. Die Fächer,
Die heilig genannten Gedächtnisse, das überzarte
Erfahren; und dabei sind wir, sind, wir und dabei.

## ANKUNFT BIS HIERHER

Angekommen, den Stock her, den Hut hin
Gelegt, das Gepäck untergebracht, an die
Wand tröstlich den Mantel gehängt, auch
Die Begrüßung beendet, freundlich die
Hände gefaßt, ihrer Treue gewiß. »Wirst
Du nun bleiben, hier bleiben, mein Freund?
Wirst du?« Die Schuhe schon abgestreift
Und alles häuslich, dann ins innerste
Gemach, die Speisen bereits genossen,
Die kühlen heilsamen Früchte, den Wein,

Jetzt Ruhe bewahrt, der Atem, die stärkende
Geduld. »Wirst du bleiben?« Diesmal leiser
Gefragt, als wäre der Trost das schönste
Geschenk nach dieser Reise. »Warst du?
Wo warst du denn? Kannst du nicht gleich
Mir es sagen?« Da steigt die Antwort auf
Und stützt sich an die Lehne. »Ja, wenn
Du es wissen willst, an dieser Stelle
Angelangt, wie du siehst, so breit wie
Das Zimmer und so lang, Einkehr, und jetzt

Weißt du es auch.« Dann lächelt die Stille
Leiser noch als versöhnlicher Schlaf.
Die Lichter gelöscht. Wie breit der
Abend heranstreicht. Also an dieser
Stelle ... Ein spätes Echo wiederholt
Den Taumel hurtiger Geläufigkeit. All
Das war und hatte nicht Zeit oder Zeit,
Wie es die Art ist. »An dieser Stelle, an
Einziger Stelle. Das ist ein Knoten,
Knotenpunkt sagt man, ein Fruchtknoten,

Ein verknüpftes Geheimnis.« Doch kurz nur
Ein Knotenpunkt, aber lange währt jetzt
Der Aufenthalt, bemessen ist seine Dauer
An diesem Tag, an diesem Ort hier im Raum,
Wo du bist, wo du wartest erwartet, doch
Lange bis in die Nacht und mitten in
Einen künftigen Tag, der liebe hohe
Mittagstag im lichten Gedächtnis der
Sonne. So wird es lange und länger,
Lebenslänglich, mein Freund, bis hierher.

## KÜNFTIGE STADT DER VERGANGENHEIT

Aushang der Tage in den verfrosteten
Aufbau der Stadt hinverstreut und verkerkert,
Das ist zu viel für die Mauern, sie stehen aber
Brüchig gebannt, ragen empor, jäh schmerzlich
Verzweigt und kahl, die spröden Zacken
Zerbröckeln, daß längst schon keiner sie kennt,
Vorüber der heiße Mittag, doch die Schwüle
Bleibt und ballt sich zusammen, jäh blitzt es
In wilden Zeichen zusammen, es donnert herab,

Die ausgefädelten Gewitter verstrahlen
Hilfsbedürftig, und auf den Straßen glittern
Die Regenströme mit sandigem Schlick und
Abgescherbelten Resten vergrübelter Vorzeit,
Bald schichtet sich Finsternis satt hinein
In nachtarme Vergänglichkeit, wunde Zehen
Irren verzagt durch das verzahnte Geröll.
Längst ist der Sommer verdorrt; Erinnern
Verschüttet, was bald unser Wissen verabschiedet:

Geh nur fort, geh nur fort! schallt hart es
Angstgeschmiedet in die notgeschneiderte
Dauer, wie jedes Los und Geschick lange vergangen
Verstreicht, nimmer zu bannen. Menschenwelt
Verläuft eine andere Zeit und mahnt: sieh nur,
Was verkünden sich will, die Blume zum Beispiel,
Die Harfe auch, vieles was überbleibt und
Eine veränderte schlanke Vergänglichkeit
Hinüberkehrt in eine Himmelsfeste; ein Anruf

Hell ins Gedächtnis hofft. Wie später funkelnd
Gestirne sich melden, die gerechten Gestalten
Und die Kraft und die Herrlichkeit. Ja, wir
Singen das Wagnis und hüten die längst bereits
Verzogene Nachhut. Heimlich entfernt sich
Das Tier von der Brust, der gedankenvoll
Versunkene Anblick, gezüngelt Lieblichkeit bunt
Und abgeschirrt von rostig gefransten Schlössern.
Eines zu halten, eines zu fassen: so möchten wir

Über die Zukunft nicht träumen, aber wir spüren
Tiefer denn je was kommen mag aus gehorsamen
Schluchten verästelter Burgen. Ein Wächter
Begibt sich da fort, das Horn an die Lippen
Gespitzt, lautleise schallt es, beharrliches
Scharren der Ungeduld und weit vorangeschattet
Die verschränkte Bitte, wenn sich ein neuer Morgen
Begibt und die fromme Geburt im Überschwang
Der Eile sich niederläßt mitten in unsere Nähe.

## GLÜCKLICHE REISE

Diese Eile, zuckende Hast, schneller noch
Schnell, schon zusammengestürzt, einer rast,
Kommt mit, hat keine Zeit (hat keine, keine,
Pünktlich, diese Sekundenminuten, flüchtig
Flüchtiger noch). Die Wange gespalten
Ans Fenster gequetscht, in die Nische und
Verrammelt die Aussicht, dahin dorthin,
Noch einer mitgenommen, angehängt dicht

Und fährt fort, sagt: »Bitte Weile mit Eile!«
Verkehlte Stimmen dahinter gedrängt wollen
Wissen: »Was? was hat er? hat er gesagt?«
Da windet die Spur sich, windig, dazwischen
Der Bahnhöfe quietschende Hallen, abgeholt
Verbeultes Gepäck, die Schachteln, die Bündel,
Die Hände voll zu tun, Griffe und Henkel.
Ein kalter Zeigefinger wischt feucht über

Die Karte. »Gilt. Prima.« Spröd bröckelnd
Ruft ein ungewaschener Mund. Räder knacken,
Die ungelenken Strecken verschwinden hastig
Entlang, entfernen die Nähe, reihen sie dicht
Im Takte zuckender Stücke, hinhergeblickt auf
Krachender Bahn, angestachelt mit stickigem
Atem, die Rumpelkinder, die Versorgten, stumm
Die schwatzenden Greise, die müden Soldaten

Mit trockenen Schüssen aus den Gewehren
Gezogen pfeilhinschnell, wie sich schwarz
Das Weidental vorandrängt, vorbeiklebt
Und fast die Nacht herbeizerrt. Die Last
Trübe hinverdorrter Winter. »Den Ausweis
Bitte! Öffnen die Hand, nichts verstecken!«
Hat einer die Wörter gespuckt. Winselnd die
Schlenkernde Polizei, wichtig geschwungen

Den gebrochenen Arm der Gerechtigkeit
Und das Urteil gefällt. »Haut hin! Der Kopf
Ist ab!« Wild über Weichen gepurzelt. »Sie
Genießen jetzt den Pilgerzug des Jahrhunderts,
Wie's keinen noch gab.« Flucht ins Fleisch
Und ins Unheil, der ausgeronnene Schrei,
Da er laut Antwort begehrt: »Hast du, Freund,
Genau die Zähluhr eingestellt?« Stundengut

Gibt's auch noch am Ziel, mit Münzen im Maul
Durchlöchert der Automat, hart klopfend
Speit er Katzenzungen aus rostiger Ritze.
Da treten die Herren an, der Bürgermeister
Und Räte mit blaßgreller Blasmusik, wie
Sie sich schneuzt, zur Begrüßung im Hals
Die Posaune. »Da seid ihr ja! Da! Doch, ihr
Seid es, oder?« Wie die Bremse sich schrill

In verquälte Klötze hineinstemmt. Nun, halt!
Angehalten. Dem Helden gehuldigt: Hoch! Aber
Geändert hat sich noch lange nichts so sehr
Wie so wenig, war doch gestern, sicher wohl
Unwiederbringlich und staubverquollen
Von früher noch ungeduldiger Tod, verhöhnt
Ins kahle Gerippe. Wird es leise, wird
Leihweise leiser noch, versalzenes Eisen.

## VERHEISSUNG AUS GEDÄCHTNIS UND STILLSTAND

Aus dem Fleische der Erinnerung beschworen, höre:
»Wie alt bist du eigentlich? Sage!« Nicht schwer
Fällt die Antwort, Gebirge und Brust lautsteil
Aufgeschaut, als die Tage viel älter waren
Wie sie sind. »Erzähle bitte, wie das Gewordene
War, da es wurde und wird!« Die Winde standen
Steif und wehten nicht, die Augen streng hielten
Mitten im Raum ihre Blicke und zähmten sie
Rundum über Jahrtausende fort. Das Erschaffene
Lebte unerschaffen noch nicht und harrte
Schlafend geduldig auf die verheißene Schöpfung.

Das Verstreichen stand festgebannt; noch schnitt
Kein Ereignis tief seine Spur in Hoffnung
Und Zeit. Die Tage älter noch, stumm die Gruben
Noch älter, die lichtbuntgebogenen Erzählungen
Blau zurückgeschlungen in die Erwartung. »Wird
Sein, sicherlich Sein. Wenn du erst ›Morgen‹
Sagen kannst.« Stück und Stück rechne, zähle das
Vor in gestauten Gedächtnissen, die Mühle mit
Schweigendem Schwungrad und wuchtigen Flügeln.
»Nichtwahr, du hast doch nichts dagegen und
Kündest es wörtlich, was wird und vorüberwartet

Langsam gespannt, daß es nicht wirklich wird,
Unendliche Wand vorgestellt, unverschoben, und
Andächtig vorgezählt mit Zuspruch und Reim. Du
Wirst doch geduldig sein? Nicht? Du wirst doch?«
So altern die Gespräche zurück in ernste Geschichte,
Zuerst Stunde um Stunde, dann Tag um Tag, bald
Jedoch Jahr um Jahr gesetzt, immer tiefer ins
Erewigte Gestern geschritten siehst du weitüber
In die verfernte Vorvergangenheit, Ursprung
Und weiter noch ausgehöhlt Gedächtnis, wo sich
Nichts mehr verliert. Bereits damals ist es

Vergangen, als es zum wiederholten Male begann.
»Bitte weitererzählen!« Gut, es gab damals Städte,
Alles gab es, des Unendlichen mündende Spalten
Rundeten das Alter zur Schwere zeitweiter steinig
Wogenversunkener Rast. Stillstand wartet stumm
Auf bemessen verzehrende Vergänglichkeit, bald
Lispelt es künftig, die unauslotbare Kuppel steten
Atems. Stille und Stand. Tage, Alter, Tage, tagende
Glocken gebrüstet in den hoffend bereiten Morgen:
Urspät ein Schallmeer ausgedehnt. Altertum
Bodenlos hoch geräumt in unermeßlichem Schall.

So erinnert, hebst du dich bald im Vertrauen,
Steigst und achtest dabei, was eigentlich wird,
Eröffnetes Zuwarten im Schlagschatten glutreinen
Obstes, und nun gären Verinnerungen verankert,
Beisammen die vererbten Freuden, weiden still
Mit Herden im Ursaum ältester Gerechtigkeit.
»Nichts unter den Schatten sei so verläßlich laut
Wie ein erfahrener Abschied. Bricht das Packeis
Mit überstürzt jäher Gewalt in die Zeit hin?«
Da alles schweigt auf und herab, wird gewecktes
Warten Gedenken. »Die Zeiten verheißen und reifen.«

## DIES GILT UND BLEIBT IMMER VERGANGEN

Dies also gilt dir, Sammler der Einsamkeit
Im wortreichen Grunde deiner Bestimmung.
Warum gehst du so allein? Bist du nicht
Hier? Einmal sagst du es doch, was dich
Rührt und aus deiner Höhle hervorzieht.
Aber du antwortest nicht. Der oft dies
Sprach, verschweigt es jetzt, seine Trauer
Packt er nicht aus, all seine müden Hüllen
Verheimlicht er. Hörst du nicht, noch immer
Nicht, wie sie dich bereden, verleugnen,
Tadeln, verhöhnen, an dir sich rächen wollen
Für ihre Schuld? Aber du bleibst still,

Nichts entlockt dir ein klagendes, doch
Auch kein erlösendes Wort. Da, was ist es?
Deine Lippen bewegen sich. Aber vergeblich,
Bleich entfährt deinem Munde kein einziger
Laut. Du, wie undurchdringlich du bist,
Die Augen unter der Stirn, weit, doch verraten
Sie nichts. Welcher Trost? Ach, daß du nicht
Dich erbarmst! Aber was soll das? Deine
Nächsten müßten es tun und dich behüten.
Nichts, was erleichtert, dringt auf dich ein,
Deine Armut fällt auf, trotzdem: keiner
Hat sie bemerkt, während du abseits wandelst

Zwischen Spreu und Getrümmer. Da ist Güte
Die schmeichelnde Wehmut des Herzens, sanfte
Schleier verlustiger Bereiche, die schnellen
Eingehaltenen Stunden deiner bebenden
Gebete. Sicher, das Schwere trägst du gleich
Einem Schirm über dem Haupt. Was könnte
Dir Trost sein, zu verteilender Trost? Hände
Haben die zitternde Wanderschaft getastet
Und gehören dir nicht. Wer sie bewegt?
Wer sie hemmt? Das Bangen ist uferlos, ruht
Zuunterst wie der Stein auf dem Grunde, doch
Schimmert das Wasser darüber, durchsichtig

In Schichten gedrängt, verschwimmende Marken
Zeichnen sich ab, schmerzlich gerändert, ein
Abbild deiner Not. Du bist nicht zuhause,
Deine Gewänder leiden auf allen Wegen. Wie
Bietet Beistand sich an? Wer schafft ihn? Doch
Du fürchtest dich nicht oder wenig. Der Weg
Zu dir verlockt und irrt sich zu weit, keine
Einkehr ist nahe genug. Gastfreundschaft
Möchtest du im sicheren Haus und findest
Sie kaum auf offenem Felde, obwohl bezahlt,
Teuer entlohnt, erweist sie sich nicht. Wenn
Du den Abend spinnst, weißt du nicht ein und

Weißt du nicht aus. Gebrochene Silben wölken
Sich ein, verratene Nachbarschaft. Sieh dort
Die Nebengasse deiner Umwege, wenn fremde
Hilfe dir sich entfernt aus geschütztem
Gehege. Du hast dich gemeldet, angemeldet
Sogar, die verlangten Zölle beglichen. Dir nah
Dürften unbekannte Ziele wohnen. Sie veratmen,
Bevor du sie spürst. Darum warte! Willst
Du nicht warten? Sieh nur, die Türe des Glückes
Braucht die kürzeste Strecke. Willst du ihr
Dienen? Der Schritt hin kennt keinen Ausgang,
Und was du möchtest bleibt immer vergangen.

# DAS MOOS DER TRAUER

Das Moos der Trauer trägt seine Gedächtnisse.
Nein, halt ein! Das arme Moos, schwer die Klinke
In die Hütte, Klinke in der Hand, vom Moose
Feucht. Und dort im abgekühlten Raume blaß
Die Bettstatt. Sieh über deinen Augen Schlaf
Und halte! Halt ein, schwirrend schneller Atem
Angeschirrt, hinter der Hütte weiden deine
Augen, trauersanfte Dämmernis im Moos. »Ja, wir
Wissen, daß du trauern mußt.« Die Wimpern
Klagen, ein jedes Haar hauchdünnes Moos, und
Feucht beschlafen in die Dämmernis. Wir halten.

All dieses hinter uns, Aufbruch aus der Hütte,
Weit flutet Weg und Bahn, der Morgen wächst
Und trägt die Sonne hoch über erfreutes Laub,
Die Trauer aber schlägt im Angedenken deiner
Freunde. »Sag uns die Bitten für diesen Tag,
Daß wir die Wand nicht fürchten müssen, kühle
Todeswand zum Grenzland aller Trauer hin, heiß
Ausgezackt, der schwarze Trauermantel herrlich,
Weiße Perlen des Gedächtnisses, Tretmühle tickt
Im taugetränkten Moos.« Die eingehüllte Hand
Badet im Tau der Dämmernis des Feiertags.

Geh deiner Wege fort als Jäger deiner Schmerzen.
Zurück! und fort! die Schatten schleichen viel
Zu frühen Nachmittag, fast Abend schon, erzitternd
Moos, grau Trauerbrot des fast zu satten Hungers.
Fest angeschirrt scharrte ein altes Roß. Du
Meiner Hoffnung Hütte, Muscheltraum zerpflückt
Unter den Decken schwer im Schlaf. »Wie ist es,
Nichts zu wissen, wenn sich der Laubwald bräunt?
Gib nach! Die Bitte nimm aus deinen Locken und
Grabe sie ins Tuch ein, dort auf die Bettstatt!«
Halt ein! Wie dunkel ist die Dämmernis der Nacht.

Es rundet sich der Mund, das blaue Schattenmoos
Fließt satt in die Vergangenheit. Die Klinke
Öffnet ungesagte Trauer. »Weide meine Lämmer!«
Sie finden nicht mehr heim. Atemdichtes Moos,
Das Funkeln der verwachten Stirnen wundert
Einsam in die Nacht. Nein, einsam nicht, leuchtend
Ein Schild, vertraut, ein überglühtes Augenwunder
Sänftigt die Übertrauer. Ach, halte, halte ein!
Still ähnelt, was sich gleicht. Streichelnd Moos
Tröstet diese Klinke. Dämmernis. Wir halten ein.

## IM ANFANG SCHUF

Die Gefängnisse des Herzens brechen auf,
Vergießen sein Blut in die Wälder, trocken
Hinter den Tälern das heilig steile Gebirge.
»Mensch, es ist dir gesagt.« Die Sagen sind
Gesagt, die Sagen geflüstert, ein weithin
Dringender Chor. Und du bist dabei, hebst
Dein Visier frei in den Himmel. Vergessenes
Heldentum kauert in altem Gestühl, einsam
Das schläfrige Wachen berät uns, da wir
Unsere Dinglichkeit auf den Lippen verspüren,
Als würde sie wörtlich. Unsere Tage

Spaltet sie, daß wir den Morgen erkennen,
Die weiße Blitzflut geborenen Lichtes, keimend
Über das Getreide der Hoffnung. Schon setzt
Es goldene Körner an, die Welt erwacht im
Gedächtnisse Seiner Herrlichkeit, veratmet
Waltet groß eine Zukunft über uns hin. »Du,
Nimm uns an! Verherrliche froh aus deinem
Reichtum die gepriesenen Gedanken deiner
Macht!« Da fällt, was geschaffen, in seinen
Beginn, daß nichts zu unterscheiden ist und
Gleich zu Gleichem sich gesellt. Die Stimme,

Der Ruf: »Im Anfang schuf« heißt es im
Buche. So wallt es fort, die Sprache wittert
Über den Geheimnissen hin. Höre nur, was
Alles war und wird, denn alles, alles ist
Dabei. Der Segensmantel versprüht bunt seine
Wohltaten, daß es begann und ist, was da wird
In die vermehrten Zeitengewinne. »Im Anfang«
Steht es dort fest, steht darüber, löst den
Urzufall auf, das Entsprießen der Welten über
Die Worte hin, die Ketten und der Glanz hoch
Über der schattigen Quelle, quellender Vielfalt.

Siehe, wie alles verströmt in mütterlichen
Maßen, daß wir sind, ein Du, ein Ich, ein Sinn
In der Not, wenn der Anfang sich leiht und
Das »schuf« in unsere Gegenwart schmilzt.
Die Augenblüten erkennen sich in gestirnter
Spiegelglut, wie es gesagt ist von dieser
Kommenden Urzeit. Brich die Gefängnisse auf,
Sammle die fliehenden Herzen, beseele sie
Mit jungem, mit unschuldigem Blut. Das Wissen
Ist ein See geschwisterlicher Sammlung, ein
Reich und eine Gewißheit: »Im Anfang schuf.«

## WEIT IN DIE LANDSCHAFT HINAUS

Angeschliert die Lücken des Gedächtnisses
Unter deiner starken Hand. Wer ist dazwischen
Gefallen? Halsstarrig in der Grube rekelt
Ein Kind sich, hält sich im Bodensatz tapfer,
Die großen Augen zum Eintritt bezahlt. Dein
Nächster Mund teilt seinen Lohn aus, sicher
Genau. Dicke Stoffpuppen schnappen nach Atem
Und Steckenpferde hoppeln durch halb verfaultes
Kraut an müden Regentagen. Sommer will nicht
Werden. Die Hände harken gedächtnislos blaß

Versintert in die Nachbarschaft hin. Versteife
Den Nacken nicht! Zu viel im Schmelz ist schon
Aus der Ordnung geraten. An klebrigem Laub fett
Hängen die Schnecken schwer, und flüchtig lockert
In den Schrunden der Mut sich. Zeitmesser
Oder Handlanger? Wie dehnt sich zierlich Gesang
Und leises Geschrei, durchgepfiffene Hoffnung
Klammert sich an die Not und zählt ihre
Schritte in Zahlen. Das Fettnäpfchen kippt um,
Tränkt lindernd Bitten um Besserung, nur zu

Nur immer zu, morgen wird heute noch besser,
Bald wird es immer sein, ins Handtuch gebeugt
Und zum Schlaf Andacht zärtlich in tröstliche
Scherben versteckt. Wenn sich anderes neigt
Und verziehendes Lächeln ein Wort in die Zähne
Steckt als Hilfe gegen das unbändige Vergessen,
Dann vergehn, nachbarlich vergehn runde Schwingen,
Schaukeln hin und her, klimpern zu Stücken, näher
Erinnern sie sich an den Rand, winken vorbei
Gesiegelt ins Herz, bis es versteint; der Bote

Hebt es mit ins Gedächtnis. Feier rüste sie
Für die Herrschaft daraus. Getrost das freie
Geleit, die Dienerschaft sammelt sich fort,
Winkelt vergnügt sich ein in ihre plumpdunkle
Sicherheit. Die Ahnung in Scheiben geschnitten
Auf schimmernder Tafel, der Erinnerung Wein in
Pokalen, Goldlöffelchen dazu, Gabeln; Imbisse
Aller Andacht, aufgelockert aus verfädelten
Nähten. Wir möchten streuen, aber das Sieb
Ist längst durchlöchert, der Sand, und die Sinne

Hin her auf die Haspel, lockern verloren die Gründe,
Ein jeder in leisen Beweisen. Finger blättert
Zur anderen Seite um und zeigt, da steht es
Unsichtbar steil in verschollenen Lettern.
Nimm deine Buchstaben aus dem Herzen und setze
Sie ein, denn sie bleiben dir aufgespart, Rune
Im liebenden Strom, wie wässert er weise hin
Und lindert die Ufer mit Trost. Endlich gern,
Gern und fern, endlich zuhaus. Die alte Glocke
Sonnt sich darüber weit in alle Täler aus.

## ENDLICHE HEIMKEHR

Heimlich Du Heimat, Irrtum wirr Verirrter,
Wortverzogen ausgespannt. Kannst du wachen?
Du kannst, stehst auf reiner Säule, einsam
Gesichtet, wortkarg Gehör, wörtlich Gebilde,
Mehligen Schlaf aus den Augen gewischt
Streichst du vorüber. Angstwahn eingeglitzert
Ins Eis, Frostherzen in Glut gebrannt, halte
Den Halt, halte fest! In einen Schritt
Geschmolzen die Erde; ein vergilbtes Gewitter
Rinnt von den Dächern, tropft übers Kinn

Zu Füßen, Stand ohne Stätte, weggezogen,
Die Post ist ausgeblieben, der tüchtige und
Flüchtige Briefträger. In Wellen das Schiff
Duckt sich vor Wind und Weile. Nimm die Geduld
Zusammen und wirf dich hin! Die Gnadenzahl
Drückt den schuldigen Rücken. Laufe fort
Und stell dich ein, bereitet schon der Aufenthalt.
Horche den Boden hier unter dir ab, packe
Den Schmerz ins Felleisen ein, fährst ja
Kaum weit, die Zugluft bläst die Sorge

Dir weg, das harte Erkälten, den Schnee und
Graue Schlacke. Gebündelt die Gliedmaßen,
Verwirren Andenken sich, das Mitgebringe
Bunter Verluste hinter den Schleier gesteckt.
Komm! Du bist ein mündiger Wirt, den Teller
Zauberst du unter dem Tisch hervor, verteilst
Griffiges Besteck. Bequem die Gäste versorgt,
Getränke, und das Erbarmen bei der Hand, fromm
Auch die Nachsicht, die Nachhut, und wir wissen
Keinen Krieg mehr, kehrt um und verriegelt

Die Schlacht, die gepeinigten Waffen mit
Strenger Gerechtigkeit versiegelt. Leben
Angelebt überlebt. Fort nun oder ins Knie!
Geschliffene Andacht zuckt im Gedächtnis,
Wendet sich traumdicht und weiß was, was nicht
Zu wissen ist. Die Freunde, froh, sie beraten
Den Abschied in vielen Stunden, von Lebzelt
Gütiger Mundvorrat. »Stärke dich, mein Sohn,
Dein Weg wird ja weit sein. Deine Stirne, hüte
Sie gut und zur Freude!« Bekränzt sammeln

Hoffnungen sich, breiten sich aus, schaufeln
Den Schritt aus Ried und Moor, wollen enteilen,
Sind aber gebannt. »Wer jetzt den Segen spürt
Und fromm sein kann.« Hat heute schon Einer
Vom Segen gesprochen? Wer möchte besser
Als ein Schlechterer sein? Stütze dein Auge
Mit Mut, da flirrend lichtleicht ein Falter
Steigt und kühl die milde Sanftmut hauchleise
Opfert. Da. Es ist da. Dichtes Dasein ist da,
Gestrichen das Maß, Alles verwandelt sich

Ins Andere hin, kräuselt die Neigung, beugt
Dir den Geist. Bist du darum? Wo denn?
Möchtest du auch? In dieser Ecke läßt es
Sich sein, wieder sein, und es ist, in Ruhe
Dauert es fort, erntest das Tote aus dürrem
Dornwerk, aber sieh die Frucht und die Fülle
Des gnädigen Verschwendens! Die Siedlung
Feiert den Frieden, setzt verläßliche Zeichen
Über das Abendrot. Gut zieht es langsam vorüber.
Du wartest, erwartest. So ist es wohlbestellt.

## EINGESTÄNDNIS

Eingeständnis und Erinnerung verwittert
Grau unter Nebelhelmen. »Daß du noch weißt
Und helfen möchtest.« Der Gang der Stimme
Feiert Vergangenheit mit Fleiß. »Längst
Nicht dabei.« Die Strähne Milch, der dunkle
Honig flüssig steif im Nachtwind schmilzt
Den späten Sommer fort und lockert auf. »Du
Verstehst nicht mehr die alten Lehren, gibst
Auch die Hoffnung hin, mürb ausgeblichen.«
Der Gang der Stimme rinnt durch weiche Zeit
Ins ahnungsvolle Grün voran, neu zum Tag,
Ein jedes Wort gesiebt und aufgefangen hält.
»Du hast es doch vorausgesagt.« Zum Ziel

Verfaßt kommt an, nur zu den Schranken hin
Sicher gesteuert, vorbeigewischt den wirren
Störgeist quer dem Abhang nach. »Was müde
Ist, sammelt ein Grund. Den Laufpaß wirfst
Du nach und staunst der Spur nach, einst
Geschleudert.« Dünn in Blättchen ausgefasert
Streicht der Gang der Stimme weiter, satt ins
Meer den Traum gebettet, dort, und nimmermehr
Danach gefragt, als wäre kühl der Sand des
Strandes fröstelnd eingedorrt, daß alle
Lippen dürsten. »Stimme, stich den müden
Gang, wirb um dein Vermächtnis!« Mitternächtig
Legt Rand sich um den Rand. Vertane Schätze

Wunderlich vermehrt. Nur da und dort mit Spreu
Gesprenkelt Halden überzogen, was Menschen
Einst ersannen. »Schau, die Weisheit schneit
Dort hinterm Zaun ihr blasses Wiesenblut
In zerstreuten Flocken.« Stimme, der Gang der
Stimme, der Stimme wilder Gang. Die Mehrheit
Selbst, körniger Überfluß. Ausgebreitet schwebt
Ins Namenlose fingriges Geschick. Verwechselt
Einer Reich und Rüstung plötzlich, so ersteht
Der Kampf, verschwistert der Gefahr mit Feind
Und Freund sich, da wogend alles durcheinander
Stiebt, der Wein nicht tränkt, das Brot nicht
Speist. »Da, das ist es, erwartet unerwartet

In deines Nachbars Einsamkeit.« So zieht der
Gang der Stimme hart, sie schleicht und schlürft
Bis ins Gerüst der Weltenwende. »Nur immer
Hier geblieben!« Ein Schrei stieg auf, doch er
Vermag nichts mehr. »Nimm dir ein Beispiel!«
Ja, wo nehmen? Alles ist verkauft. Es gibt
Kein Beispiel mehr, alles ist beispiellos und
Unbedarft. Gestürzt und dennoch Frieden, auch
Frei aber nicht mehr Herr, gesegnet doch gewiß
Nicht aufgewogen. So wird blau das Alter in
Seinen zarten Schmerzen froh. »Hast du gehört?«
Die Stimme und ihr Gang. Und was gewonnen ist
Verwittert, Erinnerung und Eingeständnis.

# Nachwort

Moderne Gedichte bestehen aus einer Folge von gereimten oder ungereimten, längeren oder kürzeren Zeilen, denen die Tagespresse am Wochenende einen Platz zwischen Kreuzworträtsel, Schachaufgabe und Modetip reserviert. Erscheinen sie in Buchform, bestimmen sich Auflage und Absatz wesentlich dadurch, ob der Verfasser zu Todes- oder Lebzeiten literarisch heiliggesprochen wurde.

Während nun die Kirche, deren Wortschatz ich hier leihweise benutze, ihre Kanonisierungen immerhin in einem ›ordentlichen Prozeß‹ betreibt und für Nichtmärtyrer-Kandidaten sowohl den heroischen Grad der Kardinaltugenden wie mindestens zwei bezeugte Wunder verlangt, hat sich die Richtschnur jener Instanz, die den Dichter zur Ehre der Altäre erhebt, derart zersplissen, daß von einem Fussel zu reden schon an Prahlerei grenzte. Anders gesagt: Die Urteile der zeitgenössischen Literaturkritik sind Altweibersommer, und Hochstapler wie Genies fliegen an ihren Fäden mit dem jeweiligen Wind.

Das eingangs Vorgebrachte war weder Witz noch Blasphemie, sondern der Versuch einer Lagebeschreibung. Könnte ich ihn vom Gedicht auf die übrigen künstlerischen Disziplinen ausdehnen und rechnerisch formulieren, ergäbe sich eine mehrstellige Zahl, deren Quersumme, dechiffriert, Ratlosigkeit hieße.

Manche Freunde des gesellschaftlichen und literarischen Fortschritts mögen über den Verlust der Maßstäbe jubeln, doch das Programm derer, die unter Brücken nächtigen, war nie die Unbehaustheit. Diejenigen aber, die in der Einbuße des Normativen den Weltbankrott erkennen, melden nur ihren eigenen Konkurs an. Das Spiel geht weiter, auch wenn an die Stelle des ›Mensch-ärgere-dich-nicht‹ das ›Russische Roulette‹ getreten ist. Ich lese moderne Gedichte. Ich spiele mit. Um im Bilde zu bleiben, erwarte ich allerdings, daß ein Schuß in der Trommel steckt.

Wer Gedichte erklären will, macht ihrem Autor den Vorwurf, sich nicht deutlich genug ausgedrückt zu haben. Das gilt von Pindar bis Adler. Doch vielleicht darf man wenigstens mal fragen, wie Gedichte entstehen und wie sie am besten zu lesen sind? – Ob biographische Belege dabei helfen? Geburtsort? Eltern? Beruf? Verheiratet? Kinder? Religion? Parteimitglied? Krank? Und wieviel auf dem Konto?

Ein Beispiel: Apotheker, Salzburger, Junggeselle, Vater Eisenhändler, wird 1911 zum ›Landwehrmedikamentenakzessisten im nichtaktiven Stande‹ ernannt und stirbt als Siebenundzwanzigjähriger an einer Kokainvergiftung im Krakauer Garnisonsspital. Zwingen uns solche Angaben zu dem Schluß, daß der jugendliche Pharmazeut mit dem Autor der Zeile »Am Abend tönen die herbstlichen Wälder«, mit Georg Trakl also, identisch ist?

Wir merken, auch personale Details reichen an keinen Vers heran, und die Gegenprobe bestätigt es: Wir lesen das ganze Gedicht, das übrigens ›Grodek‹ heißt, ohne den Namen des Dichters zu wissen. Was hindert uns, ihn für einen Salonlöwen, einen Kassenarzt, einen Grundschullehrer, einen KZ-Häftling, einen Hagestolz, Saufbruder oder Schürzenjäger zu halten? Keine literarische Gattung ist stärker ich-bezogen als das Gedicht. Trotzdem verspüren wir darin noch heute einen Rest jener Anonymität, hinter der sich die Dichter der Frühzeit verbargen. H. G. Adler deutet mit dem Titel seiner Sammlung dorthin, und folgen wir ihm, kommen wir rückwärtsblickend voran. Wonach wir etwas salopp gefragt hatten, erweist sich jetzt, je mehr wir uns der ›Stimme‹ und dem ›Zuruf‹ nähern, als Ursprung des Gedichts wie seines Lesers.

»Wie ist es zu fassen, dieses geheimniserfüllte
Leben?«

überlegt Adler und antwortet:

»Wir wissen es nicht oder kaum, doch ein Geschmack
Betörte unsere Lippen und da stimmen herausfordernd
Wir kühn noch einen Gesang an.«

Eine Zunge löst sich am Golf von Korinth, am Berge Sinai, auf Island, in den germanischen Wäldern und den sarmatischen Ebenen, murmelt Gebet und Zauberspruch, summt von Göttern und Helden, formt Glück und Leid in eine Versgestalt und sehnt die anderen herbei, um ihnen eine Seele mitzuteilen:

»Die Gefängnisse des Herzens brechen auf.«

Stimme wird Zuruf, Berufung Beruf. Rhapsoden, Psalmisten, Skalden, Wandersänger und Bylinen ziehn durchs Land. Der Dichter wendet sich an alle, und aus fremdem Mund hört man das Echo eigenen Geschicks.

»Daß ich mich rufen weiß, daß sie mich rufen ...«

Das ist die Kugel in der Trommel. Wer sich Adlers Stimme öffnet und ihren Zuruf vernimmt, wird getroffen – und betroffen sein.

Manfred Bieler

ÜBERSICHT

## Versöhnte Spur der Trauer 1968-1970

## Zwischenstufen 1972-1978

## Durchgänge und Zeiten 1978

## Stimme und Eingeständnis 1979